JUAN RAMÓN JIMÉNEZ

Nació en Moguer en 1881. Cursó estudios de derecho, que abandonó para dedicarse a las letras. En 1900 realizó su primer viaje a Madrid, donde conoció a Rubén Darío. Los años siguientes transcurrieron entre Moguer y Madrid; durante ellos publicó varios volúmenes de poesía –*Rimas*, *Arias tristes*, *Jardines lejanos*, *Elegías*, *Poemas mágicos y dolientes*, *Pastorales* y *Estío*– y la autobiografía lírica en prosa *Platero y yo*. En 1916 viajó a Estados Unidos y se casó con Zenobia Camprubí. Ese año marcó también el inicio de la llamada su «segunda época», la más importante y renovadora (que es la que recoge la presente selección), en la que Juan Ramón Jiménez buscó la perfecta pureza en una poesía profunda, sencilla y despojada de toda túnica: *Sonetos espirituales*, *Diario de un poeta recién casado* (posteriormente denominado *Diario de poeta y mar*), *Eternidades* o *Piedra y cielo* son algunos de sus títulos más celebrados. Con el estallido de la Guerra Civil, marchó a Puerto Rico; luego vivió sucesivamente en Cuba, Miami y Washington. En 1956 fue galardonado con el premio Nobel de Literatura. Murió en 1958 en Puerto Rico, donde finalmente se había establecido.

JUAN RAMÓN
JIMÉNEZ
(Premio Nobel 1956)

Poesía pura

MONDADORI

http://www.grijalbo.com

Selección de Rafael Ramos a partir de los libros:
Diario de poeta y mar, *Eternidades*, *Piedra y cielo*,
Poesía, *Belleza*, *La estación total*, *En el otro costado* y
Dios deseado y deseante
Cubierta: Arnoldo Mondadori Editore

ISBN: 84-397-0268-X
Depósito legal: M. 19.280-1999
Impreso y encuadernado en Mateu Cromo
Artes Gráficas, S.A., Ctra. de Fuenlabrada, s/n.
Pinto (Madrid)

POESÍA PURA

SOLEDAD

(1 de febrero)

En ti estás todo, mar, y sin embargo,
¡qué sin ti estás, qué solo,
qué lejos, siempre, de ti mismo!
Abierto en mil heridas, cada instante,
cual mi frente,
tus olas van, como mis pensamientos,
y vienen, van y vienen,
besándose, apartándose,
en un eterno conocerse,
mar, y desconocerse.
Eres tú, y no lo sabes,
tu corazón te late, y no lo siente...
¡Qué plenitud de soledad, mar solo!

MAR

(5 de febrero)

Parece, mar, que luchas
–¡oh desorden sin fin, hierro incesante!–
por encontrarte o porque yo te encuentre.
¡Qué inmenso demostrarte, mar,
en tu desnudez sola
–sin compañera... o sin compañero,
según te diga el mar o la mar–, creando
el espectáculo completo
de nuestro mundo de hoy!
Estás como en un parto,
dándote a luz –¡con qué fatiga!–
a ti mismo, ¡mar único!,
a ti mismo, a ti solo y en tu misma
y sola plenitud de plenitudes,
... –¡por encontrarte o porque yo te encuentre!

CIELO

(7 de febrero)

Te tenía olvidado,
cielo, y no eras
más que un vago existir de luz,
visto –sin nombre–
por mis cansados ojos indolentes.
Y aparecías, entre las palabras
perezosas y desesperanzadas del viajero,
como en breves lagunas repetidas
de un paisaje de agua visto en sueños...
Hoy te he mirado lentamente,
y te has ido elevando hasta tu nombre.

(New York, 27 de marzo)

Todo dispuesto ya, en su punto,
para la eternidad.
–¡Qué bien! ¡Cuán bello!
¡Guirnalda cotidiana de mi vida,
reverdecida siempre por el método!
¡Qué trabajo tan fácil y tan dulce
para un estado eterno!
... ¡Qué trabajo tan largo –dices tú–
para sólo un momento!

SILENCIO

Hasta hoy la palabra
«silencio»,
no cerró, cual con su tapa,
el sepulcro de sombra
del callar.
¡Hasta hoy,
cuando en balde esperé
que tú me respondieras,
habladora!

¿...?

(New York, 20 de abril)

Vive entre el corazón
y la puesta de sol o las estrellas.
–En el silencio inmenso
que deja el breve canto
de un pájaro; en la inmensa
sombra que deja el oro último
de una hojita encendida
por la yerba–.
Vive dentro
de un algo grande que está fuera,
y es portador secreto a lo infinito,
de las llorosas pérdidas
que huyen, al sol y por el sueño,
igual que almas en pena,
en una desesperación que no se oye,
de fuera a dentro a fuera.
Ella
pregunta, sin saberlo,
con su carne asomada a la ventana
primaveral: ¿Qué era?

MAR

(9 de junio)

A veces, creo que despierto
de mi misma vijilia, y que con ella
–sueño del mediodía–
se van monstruos terribles
del horizonte puro.
–Es cual una tormenta
de duermevela, cuyo trueno
no se supiera nunca
si fue verdad o fue mentira–.
Se me abre el corazón y se me ensancha, como
el mar mismo. La amenaza
huye por el oriente
a sus pasadas nubes.
El mar sale del mar y me hace doblemente claro.

(15 de junio)

La luna blanca quita al mar
el mar, y le da el mar. Con su belleza,
en un tranquilo y puro vencimiento,
hace que la verdad ya no lo sea,
y que sea verdad eterna y sola
lo que no lo era.

Sí.

¡Sencillez divina,
que derrotas lo cierto y pones alma
nueva a lo verdadero!
¡Rosa no presentida, que quitara
a la rosa la rosa, que le diera
a la rosa la rosa!

(19 de junio)

No sé si el mar es, hoy
–adornado su azul de innumerables
espumas–,
mi corazón; si mi corazón, hoy
–adornada su grana de incontables
espumas–,
es el mar.
Entran, salen
uno de otro, plenos e infinitos,
como dos todos únicos.
A veces, me ahoga el mar el corazón,
hasta los cielos mismos.
Mi corazón ahoga el mar, a veces,
hasta los mismos cielos.

ELEJÍA

(Madrid, 3 de octubre)

Ahora parecerás ¡oh mar lejano!
a los que por ti vayan,
viendo tus encendidas hojas secas,
al norte, al sur, al este o al oeste;
ahora parecerás ¡oh mar distante!
mar; ahora que yo te estoy creando
con mi recuerdo vasto y vehemente.

ACCIÓN

(Goethe)

No sé con qué decirlo,
porque aún no está hecha
mi palabra.

¡Intelijencia, dame
el nombre exacto de las cosas!
... Que mi palabra sea
la cosa misma
creada por mi alma nuevamente.
Que por mí vayan todos
los que no las conocen, a las cosas;
que por mí vayan todos
los que ya las olvidan, a las cosas;
que por mí vayan todos
los mismos que las aman, a las cosas...
¡Intelijencia, dame
el nombre exacto, y tuyo,
y suyo, y mío, de las cosas!

Tira la piedra de hoy,
olvida y duerme. Si es luz,
mañana la encontrarás,
ante la aurora, hecha sol.

Vino, primero pura,
vestida de inocencia;
y la amé como un niño.
Luego se fue vistiendo
de no sé qué ropajes;
y la fui odiando, sin saberlo.
Llegó a ser una reina,
fastuosa de tesoros...
¡Que iracundia de yel y sin sentido!
... Mas se fue desnudando.
Y yo le sonreía.
Se quedó con la túnica
de su inocencia antigua.
Creí de nuevo en ella.
Y se quitó la túnica,
y apareció desnuda toda...
¡Oh pasión de mi vida, poesía
desnuda, mía para siempre!

¡No corras, ve despacio,
que adonde tienes que ir es a ti solo!
¡Ve despacio, no corras,
que el niño de tu yo, reciennacido
eterno,
no te puede seguir!

Ante mí estás, sí.
Mas me olvido de ti,
pensando en ti.

Sólo lo hiciste un momento;
mas quedaste, como en piedra,
haciéndolo para siempre.

¡Este jesto, aquel jesto!
... Pasa entre mis ideas,
como una férrea mano
por entre mariposas.
Tuerce, por dentro, mi cabeza,
y me la vuelve, triste
piedra, hacia el punto
suyo, en la sombra.
Me coje el sueño, y pone
tan duro mi desvelo
que, a la aurora, el sol agrio
me da en el corazón lo mismo
que en una roca viva.
¡Oh, este jesto, que nunca
sabré si era o si no era
así, como yo creo,
como no creí nunca!

Yo solo Dios y padre y madre mío,
me estoy haciendo, día y noche, nuevo
y a mi gusto.

Seré más yo, porque me hago
conmigo mismo,
conmigo solo,
hijo también y hermano, a un tiempo
que madre y padre y Dios.

Lo seré todo,
pues que mi alma es infinita;
y nunca moriré, pues que soy todo.

¡Qué gloria, qué deleite, qué alegría,
qué olvido de las cosas,
en esta nueva voluntad,
en este hacerme yo a mí mismo eterno!

Me respondió en lo que no dijo,
a lo que, sin decirlo, dije,
afirmando en un no lo no pedido
por mi pregunta falsa.
¡Sentí que lo más puro
se me cuajaba en su alegría,
cual si esa rosa que el rocío yerto
hace en la rosa suave,
la suplantara para siempre!

Yo no soy yo.
Soy este
que va a mi lado sin yo verlo;
que, a veces, voy a ver,
y que, a veces, olvido.
El que calla, sereno, cuando hablo,
el que perdona, dulce, cuando odio,
el que pasea por donde no estoy,
el que quedará en pie cuando yo muera.

Grité, lloré, le pegué, loco...
La rosa dulce se quedó llorando.
Me desperté de un grito, aún con lágrimas...
¡Todo era falso!
Sí, sí; mas ¿dónde volveré ya a ver la
rosa de luz que se quedó llorando?

¡Palabra mía eterna!
¡Oh, qué vivir supremo
–ya en la nada la lengua de mi boca–,
oh, qué vivir divino
de flor sin tallo y sin raíz,
nutrida, por la luz, con mi memoria,
sola y fresca en el aire de la vida!

EL POEMA

1

–¡No le toques ya más,
que así es la rosa!

2

Arranco de raíz la mata,
llena aún del rocío de la aurora.
¡Oh, qué riego de tierra
olorosa y mojada,
qué lluvia –¡qué ceguera!– de luceros
en mi frente, en mis ojos!

y 3

¡Canción mía,
canta, antes de cantar;
da a quien te mire antes de leerte,
tu emoción y tu gracia;
emánate de ti, fresca y fragante!

EL RECUERDO

1

Este instante
que ya va a ser recuerdo, ¿qué es?
Música loca,
que trae estos colores que no fueron
–pues que fueron
de aquella tarde de oro, amor y gloria;
esta música
que va a no ser, ¿qué es?

2

¡Instante, sigue, sé recuerdo
–recuerdo, tú eres más, porque tú pasas
sin fin, la muerte con tu flecha–,
sé recuerdo, conmigo ya lejano!
... ¡Oh, sí, pasar, pasar, no ser instante,
sino perenidad en el recuerdo!

y 3

¡Memoria inmensa mía,
de instantes que pasaron hace siglos;
eternidad del alma de la muerte!
... ¡Instante, pasa, pasa tú que eres –¡ay!–
yo!
Este instante, este tú,
que va ya a ser muriendo, ¿qué es?

LA OBRA

De pronto, ahora,
mi lugar conseguido
me parece un lugar raro, estranjero
de donde yo domino
el mundo.
Voy y vengo
por mi biblioteca,
donde mis libros son ya luz, como los otros,
igual que por mi sueño adolescente;
y quien viene, es quien quise –quien soñé–
entonces que viniera –la mujer, el hombre–.
El mediodía pone solitario
el alrededor, donde
hablo, sonriente, con los que me ignoran, porque tengo
en círculo distante, lo infinito.

RUTA

Todos duermen, abajo.
Arriba, alertas,
el timonel y yo.
Él, mirando la aguja, dueño de
los cuerpos, con sus llaves
echadas. Yo, los ojos
en lo infinito, guiando
los tesoros abiertos de las almas.

CANCIÓN

Todo el otoño, rosa,
es esa sola hoja tuya
que cae.
Niña, todo el dolor
es esa sola gota tuya
de sangre.

¡No estás en ti, belleza innúmera,
que con tu fin me tientas, infinita,
a un sinfín de deleites!
¡Estás en mí, que te penetro
hasta el fondo, anhelando, cada instante,
traspasar los nadires más ocultos!
¡Estás en mí, que tengo
en mi pecho la aurora
y en mi espalda el poniente
–quemándome, trasparentándome
en una sola llama–; estás en mí, que te entro
en tu cuerpo mi alma
insaciable y eterna!

Quisiera que mi libro
fuese, como es el cielo por la noche,
todo verdad presente, sin historia.
Que, como él, se diera en cada instante,
todo, con todas sus estrellas; sin
que niñez, juventud, vejez quitaran
ni pusieran encanto a su hermosura inmensa.
¡Temblor, relumbre, música
presentes y totales!
¡Temblor, relumbre, música en la frente
–cielo del corazón– del libro puro!

¡Cómo aprendemos a morir
en ti, sueño!
¡Con qué belleza majistral
nos va llevando –por jardines,
que nos parecen cada vez más nuestros–
al gran conocimiento de la sombra!

LA CORRIENTE INFINITA

En mí la cojo yo, desde mi hora,
entre las dos orillas
de mi alma y su imajen infinita;
en mí la cojo, pura,
como si, en ella, el largo tiempo oscuro de los hombres
no hubiera sido más que clara eternidad.

¿Nada todo? Pues ¿y este gusto entero
de entrar bajo la tierra, terminado
igual que un libro bello?
¿Y esta delicia plena
de haberse desprendido de la vida,
como un fruto perfecto de su rama?
¿Y esta alegría sola
de haber dejado en lo invisible
la realidad completa del anhelo,
como un río que pasa hacia la mar,
su perene escultura?

¿Cómo, muerte, tenerte
miedo? ¿No estás aquí conmigo, trabajando?
¿No te toco en mis ojos; no me dices
que no sabes nada, que eres hueca,
inconciente y pacífica? ¿No gozas,
conmigo, todo: gloria, soledad,
amor, hasta tus tuétanos?
¿No me estás aguantando,
muerte, de pie, la vida?
¿No te traigo y te llevo, ciega,
como tu lazarillo? ¿No repites
con tu boca pasiva
lo que quiero que digas? ¿No soportas,
esclava, la bondad con que te obligo?
¿Qué verás, qué dirás, adónde irás
sin mí? ¿No seré yo,
muerte, tu muerte, a quien tú, muerte,
debes temer, mimar, amar?

Morir es sólo
mirar adentro; abrir la vida solamente
adentro; ser castillo inespugnable
para los vivos de la vida.

¡Voz mía, canta, canta;
que mientras haya algo
que no hayas dicho tú,
tú nada has dicho!

¡AMOR!

Todas las rosas son la misma rosa,
¡amor!, la única rosa;
y todo queda contenido en ella,
breve imajen del mundo,
¡amor!, la única rosa.

¡Crearme, recrearme, vaciarme, hasta
que el que se vaya muerto, de mí, un día,
a la tierra, no sea yo; burlar honradamente,
plenamente, con voluntad abierta,
el crimen, y dejarle este pelele negro
de mi cuerpo, por mí!

¡Y yo, esconderme
sonriendo, inmortal, en las orillas puras
del río eterno, árbol
–en un poniente inmarcesible–
de la divina y májica imajinación!

La muerte es una madre nuestra antigua,
nuestra primera madre, que nos quiere
a través de las otras, siglo a siglo,
y nunca, nunca nos olvida;
madre que va, inmortal, atesorando
–para cada uno de nosotros sólo–
el corazón de cada madre muerta;
que está más cerca de nosotros,
cuantas más madres nuestras mueren;
para quien cada madre sólo es
un arca de cariño que robar
–para cada uno de nosotros sólo–;
madre que nos espera,
como madre final, con un abrazo inmensamente
abierto,
que ha de cerrarse, un día, breve y duro,
en nuestra espalda, para siempre.

SITIO PERPETUO

«Aquel purpúreo monte, que tenía
la formación más viva hacia el ocaso,
desviado secreto de espesura»,
vuelve hacia mí, se instala
ante mi amor, lo mismo
que un ser, una inmortal mujer dorada.
¿Él sabe que es bastante,
sabe que lo esperaba yo cantando,
que es deseado para plenitud,
para paz, para gloria?
Viajan los lugares a las horas
propicias. Entrecruzan sin estorbo,
en concesión magnánima de espacio,
sus formas de infinita especie bella,
cada uno a su fe. (Y hacen un mundo
nuevo perpetuamente...)
«Este mar plano frente a la pared
blanca al sur neto de la noche ébana,
con la luna acercada en inminencia
de alegre eternidad.»
Así encontramos
de súbito, hondas patrias imprevistas,

paraísos profundos de hermosura,
que parecieron de otro modo:
claros ante la luz, distintos,
olas bien limitadas, otras,
altos árboles solos, diferentes.

La armonía recóndita
de nuestro estar coincide con la vida.
Y en tales traslaciones, realidades
paralelas, bellísimas, del sueño,
dejamos sonriendo nuestra sien
contra la fresca nube
cuajada momentánea eternidad,
en un pleno descanso transparente,
advenimiento firme de imposible.

«Mi galería al único levante,
cielo amarillo y blanco trasluciente,
sobre el pozo primero, entre la adelfa.»

LO QUE SIGUE

Como en la noche, el aire ve su fuente
oculta. Está la tarde limpia como
la eternidad.
La eternidad es sólo
lo que sigue, lo igual; y comunica
por armonía y luz con lo terreno.
Entramos y salimos sonriendo,
llenos los ojos de totalidad,
de la tarde a la eternidad, alegres
de lo uno y lo otro. Y de seguir,
de entrar y de seguir.
Y de salir...
(Y en la frontera de las dos verdades,
exaltando su última verdad,
el chopo de oro contra el pino verde,
síntesis del destino fiel, nos dice
qué bello al ir a ser es haber sido.)

EL AZUL RELATIVO

De la noche ha saltado. Y yo le digo:
«Te cojeré, sabré de ti».
Y doy un salto
tras ello.
Nuestras sombras,
henchidas, plenas, exaltadas,
se enlazan o se esquivan,
pasando su quizás entre las rosas,
cojidas de facción por una estrella,
perdiéndose, ya a punto, con el agua.
«Sí, sí, eras tú», me dice.
Y al instante,
se olvida el tú en lo oscuro,
el tú que era, que iba a ser, que había sido,
el tú de ello, mío, nuestro;
el sí que, allá en el fondo
del gran jardín de nuestro olvido,
vive en el májico palacio,
con secreto fatal, de la memoria.
«¡Eres tú, fuiste tú!», le digo,
«y yo, ¿te fui, te soy?»

Un frío entre los dos nos elimina,
el frío del no solo.
Y salto de la noche
a mi cobijo que era mi verdad,
la verdad del resigno y del conforme.
Y todo queda ante mi vista chico,
cerrado muro de azul yerto,
¡el azul relativo, el pobre azul,
plano, lo mismo, como ayer, como antes!

SU SITIO FIEL

Las nubes y los árboles se funden
y el sol les trasparenta su honda paz.
Tan grande es la armonía del abrazo
que la quiere gozar también el mar,
el mar que está tan lejos, que se acerca,
que ya se oye latir, que huele ya.
El cerco universal se va apretando,
y ya en toda la hora azul no hay más
que la nube, que el árbol, que la ola,
síntesis de la gloria cenital.
El fin está en el centro. Y se ha sentado
aquí, su sitio fiel, la eternidad.
(Para esto hemos venido. Cae todo
lo otro, que era luz provisional.)
Y todos los destinos aquí salen,
aquí entran, aquí suben, aquí están.
Tiene el alma un descanso de caminos
que han llegado a su único final.

EL VIENTO MEJOR

Profundidad aún quieta y rama ya en exalte
verde verano aún y otoño ya cobrizo,
carne aún suculenta y ya espíritu ardiente,
vida májica aún y ya muerte preciosa.
(Y el viento uno lo menea todo,
lo confunde y lo funde en una sola luz
y le da su sentido al paraíso.)
¡Qué realidad mejor, qué mayor esperanza
que esta doble belleza, enamorada libre,
esta infinita plenitud presente, ausente,
de la muerte y la vida en abrazo de gloria!

MENSAJERA DE LA ESTACIÓN TOTAL

Todas las frutas eran de su cuerpo
las flores todas, de su alma.
Y venía, y venía
entre las hojas verdes, rojas, cobres,
por los caminos todos
de cuyo fin con árboles desnudos
pasados en su fin a otro verdor,
ella había salido
y eran su casa llena y natural.
¿Y a qué venía, a qué venía?
Venía sólo a no acabar,
a perseguir en sí toda la luz,
a iluminar en sí toda la vida
con forma verdadera y suficiente.
Era lo elemental más apretado
en redondez esbelta y elejida:
agua y fuego con tierra y aire,
cinta ideal de suma gracia,
combinación y metamórfosis.
Espejo de iris májico de sí,
que viese lo de fuera desde fuera
y desde dentro lo de dentro;

la delicada y fuerte realidad
de la imajen completa.
Mensajera de la estación total,
todo se hacía vista en ella.
    (Mensajera
¡qué gloria ver para verse a sí mismo
en sí mismo,
en uno mismo,
en una misma,
la gloria que proviene de nosotros!)
    Ella era esa gloria ¡y lo veía!
Todo, volver a ella sola,
solo, salir toda de ella.
    (Mensajera,
tú existías. Y lo sabía yo.)

LOS PÁJAROS DE YO SÉ DÓNDE

Toda la noche,
los pájaros han estado
cantándome sus colores.
(No los colores
de sus alas matutinas
con el fresco de los soles.
No los colores
de sus pechos vespertinos
al rescoldo de los soles.
No los colores
de sus picos cotidianos
que se apagan por la noche,
como se apagan
los colores conocidos
de las hojas y las flores.)
Otros colores
el paraíso primero
que perdió del todo el hombre,
el paraíso
que las flores y los pájaros
inmensamente conocen.

Flores y pájaros
que van y vienen oliendo,
volando por todo el orbe.
Otros colores
el paraíso sin cambio
que el hombre en sueños recorre.
Toda la noche,
los pájaros han estado
cantándome los colores.
Otros colores
que tienen en su otro mundo
y que sacan por la noche.
Unos colores
que he visto bien despierto
y que están yo sé bien dónde.
Yo sé de dónde
los pájaros han venido
a cantarme por la noche.
Yo sé de dónde
pasando vientos y olas,
a cantarme mis colores.

PINAR DE ETERNIDAD

En la luz celeste y tibia
de la madrugada lenta,
por estos pinos iré
a un pino eterno que espera.
No con buque, sino en onda
suave, callada, serena,
que deshaga el leonar
de las olas batalleras.
Me encontraré con el sol,
me encontraré con la estrella,
me encontraré al que se vaya
y me encontraré al que venga.
Seremos los cinco iguales
en paz y en luz blancas, negras;
la desnudez de lo igual
igualará la presencia.
Todo irá siendo lo que es
y todo de igual manera,
porque lo más que es lo más
no cambia su diferencia.

En la luz templada y una
llegaré con alma llena,
el pinar rumoreará
firme en la arena primera.

ÁRBOLES HOMBRES

Ayer tarde
volvía yo con las nubes
que entraban bajo rosales
(grande ternura redonda)
entre los troncos constantes.
La soledad era eterna
y el silencio inacabable.
Me detuve como un árbol
y oí hablar a los árboles.
El pájaro solo huía
de tan secreto paraje,
sólo yo podía estar
entre las rosas finales.
Yo no quería volver
en mí, por miedo de darles
disgusto de árbol distinto
a los árboles iguales.
Los árboles se olvidaron
de mi forma de hombre errante,
y, con mi forma olvidada,
oía hablar a los árboles.

Me retardé hasta la estrella.
En vuelo de luz suave
fui saliéndome a la orilla
con la luna ya en el aire.
Cuando yo ya me salía
vi a los árboles mirarme,
se daban cuenta de todo,
y me apenaba dejarles.
Y yo los oía hablar,
entre el nublado de nácares,
con blando rumor, de mí.
Y ¿cómo desengañarles?
¿Cómo decirles que no,
que yo era sólo el pasante,
que no me hablaran a mí?
No quería traicionarles.
Y ya muy tarde, ayer tarde,
oí hablarme a los árboles.

LA TRANSPARENCIA, DIOS, LA TRANSPARENCIA

Dios del venir, te siento entre mis manos,
aquí estás enredado conmigo, en lucha hermosa
de amor, lo mismo
que un fuego con su aire.
No eres mi redentor, ni eres mi ejemplo,
ni mi padre, ni mi hijo, ni mi hermano;
eres igual y uno, eres distinto y todo;
eres dios de lo hermoso conseguido,
conciencia mía de lo hermoso.
Yo nada tengo que purgar.
Toda mi impedimenta
no es sino fundación para este hoy
en que, al fin, te deseo;
porque estás ya a mi lado,
en mi eléctrica zona,
como está en el amor el amor lleno.
Tú esencia, eres conciencia; mi conciencia
y la de otro, la de todos,
con forma suma de conciencia;
que la esencia es lo sumo,
es la forma suprema conseguible,
y tu esencia está en mí, como mi forma.

Todos mis moldes llenos
estuvieron de ti; pero tú, ahora,
no tienes molde, estás sin molde; eres la gracia
que no admite sostén,
que no admite corona,
que corona y sostiene siendo ingrave.
Eres la gracia libre,
la gloria de gustar, la eterna simpatía,
el gozo del temblor, la luminaria
del clariver, el fondo del amor,
el horizonte que no quita nada;
la trasparencia, dios, la trasparencia,
el uno al fin, dios ahora sólito en lo uno mío,
en el mundo que yo por ti y para ti he creado.

EL NOMBRE CONSEGUIDO DE LOS NOMBRES

Si yo, por ti, he creado un mundo para ti,
dios, tú tenías seguro que venir a él,
y tú has venido a él, a mí seguro,
porque mi mundo todo era mi esperanza.
Yo he acumulado mi esperanza
en lengua, en nombre hablado, en nombre escrito;
a todo yo le había puesto nombre
y tú has tomado el puesto
de toda esta nombradía.
Ahora puedo yo detener ya mi movimiento,
como la llama se detiene en ascua roja
con resplandor de aire inflamado azul,
en el ascua de mi perpetuo estar y ser;
ahora yo soy ya mi mar paralizado,
el mar que yo decía, mas no duro,
paralizado en olas de conciencia en luz
y vivas hacia arriba todas, hacia arriba.
Todos los nombres que yo puse
al universo que por ti me recreaba yo,
se me están convirtiendo en uno y en un
dios.

El dios que es siempre al fin,
el dios creado y recreado y recreado
por gracia y sin esfuerzo.
El Dios. El nombre conseguido de los nombres.

CONCIENCIA PLENA

Tú me llevas, conciencia plena, deseante dios,
por todo el mundo.
En este mar tercero,
casi oigo tu voz; tu voz del viento
ocupante total del movimiento;
de los colores, de las luces
eternos y marinos.
Tu voz de fuego blanco
en la totalidad del agua, el barco, el cielo,
lineando las rutas con delicia,
grabándome con fúljido mi órbita segura
de cuerpo negro
con el diamante lúcido en su dentro.

LA MENUDA FLORACIÓN

Este encuentro del dios que yo decía,
estaba, como en primavera
primera, de menuda floración,
que en este niñodiós que me esperaba;
el mismo niñodiós que yo fui un día,
que dios fue un día en mi Moguer de España;
mi dios y yo que ya soñábamos con este hoy.
Al fin lo tuve.
El sueño no fue sueño, era distancia,
y de ella venía la fragancia,
la fragancia que yo, que dios en niñodiós, los dos
le dimos en botón de primavera.
Ella se dilató y hoy llena un mundo
que yo ensanché para este niñodiós.
¡Qué infancia universal, qué yo de dios
de todo el mundo en este niño!
Tú, mi dios deseado, me guiaste
porque tú lo soñaste también; tú, niñodiós,
eterno niñodiós;
soñaste que por ti yo fuera dios del niño
y niño me dejaste
para que siempre el niño fuera mío.

¿Qué alegría mayor
pudo pensar mi sentimiento?
Que no bastaba el puro pensamiento
para pensar al niño; necesario era
crearlo en un florecimiento
de primavera,
en la menuda flor de la ladera,
la flor en luz del puro sentimiento.
Por eso vive en flor menuda,
en flor del niñodiós, florecilla desnuda,
y en flor del niñodiós desnudo yo lo siento.

MITOS
POESÍA

1. Neruda, *Poesía de amor*
2. Pessoa, *42 poemas*
3. Bukowski, *20 poemas*
4. Safo
5. Cernuda, *34 poemas*
6. Whitman, *¡Oh, Capitán! ¡Mi Capitán!*
7. Baudelaire, *42 flores del mal*
8. Kavafis, *56 poemas*
9. Alberti, *Sueños del marinero*
10. Dickinson, *60 poemas*
11. Darío, *31 poemas*
12. Pavese, *Vendrá la muerte y tendrá tus ojos*
13. Goethe, *47 poemas*
14. Lorca, *Romances y canciones*
15. Stevenson, *Cantos de viaje*
16. Rimbaud, *Hay que ser absolutamente moderno*
17. Salinas, *De amor*
18. Poe, *El cuervo y otros poemas*
19. Quevedo, *Versos de burlas*
20. Yeats, *30 poemas*
21. Machado, *Poemas de Castilla*
22. *Poesía árabe clásica*
23. *Jaikus. En este lugar, en este momento*
24. Vallejo, *Nómina de huesos y otros poemas*

25. Ajmátova, *Réquiem y otros poemas*
26. Sor Juana Inés de la Cruz, *Versos profanos*
27. Pound, *Disfraces*
28. *Aire y ángeles*
29. Auden, *Parad los relojes y otros poemas*
30. Manrique, *Recuerde el alma dormida*
31. *56 boleros*
32. Shakespeare, *¿A un día de verano habré de compararte? 62 sonetos*
33. Rilke, *Versos de un joven poeta*
34. San Juan de la Cruz y santa Teresa de Jesús, *Poemas del amor divino*
35. Jiménez, *Poesía pura*
36. Plath, *Soy vertical. Pero preferiría ser horizontal*

¿Cuántos libros sueles comprar al año? ...

¿Dónde has adquirido este libro?
☐ Librería ☐ Quiosco ☐ Grandes superficies ☐ Otros

¿Cómo has conocido la colección?
☐ TV ☐ Prensa ☐ Amigos
☐ Librería ☐ Quiosco ☐ Otros ...

¿Te gusta la portada de los libros? ☐ Sí ☐ No
¿Te gusta el formato de los libros? ☐ Sí ☐ No

Indica cuál de estos factores te ha influido más a la hora de comprar el libro:
☐ Precio ☐ Autor ☐ Contenido ☐ Presentación

¿Has comprado otros títulos de la colección?
☐ Sí ☐ No ¿Cuántos? ...

☐ Hombre ☐ Mujer

Edad:
☐ 13-17 ☐ 18-24 ☐ 25-34
☐ 35-44 ☐ 45-54 ☐ más de 54

Estudios:
☐ Primarios ☐ Secundarios ☐ Universitarios

Si deseas recibir más información sobre esta colección, envíanos tus datos a **Mondadori**, calle Aragón, 385, 08013 Barcelona.

Apellidos ______________________ Nombre ______
Calle ________________________ nº ___ piso ___
Población ____________________________ c.p. ____
Provincia ____

Los datos recogidos en este cuestionario son confidenciales. Tienes derecho a acceder a ellos para actualizarlos o anularlos.

35. *Poesía pura*